Mercurius

Omnia

Fūrātur

a Latin novella

by John Foulk

Mercurius Omnia Furatur
Copyright © 2020 John Foulk

ISBN-13 978-1-7351937-0-0

discipulīs rīdiculīs

Praefātiō

When I first read *Homeric Hymn 4 to Hermes* with the intention to translate and adapt it for Parkview High School's Latin II classes, I expected the solemnity of a hymn and the familiar myth of Hermes stealing Apollo's cattle. What I read instead was a wonderfully wacky tale about a mischievous newborn with super powers! I immediately wondered why this compelling story - featuring a superhuman baby, tons of trickery, and bodily functions - was not as commonly taught as other myths. Thus I was inspired to write this novella.

My ancient sources of *Mercurius Omnia Fūrātur* are largely the aforementioned *Homeric Hymn 4 to Hermes* and Lucian's *Dialogues of the Gods* 11. The novella references to a lesser degree Pseudo-Apollodorus' *Bibliotheca* and Philostratus the Elder's *Imagines*. Other helpful sources include Pseudo-Hyginus' *Astronomica* and Ovid's *Metamorphoses* and *Fasti*.

Mercurius Omnia Fūrātur contains 1,598 total words and 217 unique forms, including glossed words and proper nouns, from 93 lemmata. The novella is intended for first-year novice readers. I have used vocabulary attested in prose authors (e.g. Cicero and Livy), but have not sought to imitate any author's prose style. Where my own prose style differs from the preferences of classical authors, I have done so for creative effect and/or for the ease of the novice reader.

I owe great thanks to my colleagues Rachel Ash, Elizabeth Davidson, Miriam Patrick, Bob Patrick, and Keith Toda for their encouragement, mentorship, and camaraderie. Thanks to Miriam and Keith in particular for their support as we used my adaptation of the *Hymn* in our Latin II classes. Thanks to Bob Patrick and Christopher Buczek for their helpful feedback on the Latin version of the novella. Thanks to Seumas Macdonald for his insightful feedback on the Greek version and for his leadership in making Ancient Greek accessible and comprehensible to all. Any remaining errors are all my own. Thanks to Mahkeda Kellman for bringing my vision to life through her illustrations. To see more of her work, check out her Instagram @emk_illustrations. Last but not least, I would like to thank my students.

John Foulk

Index Capitum

I

Mercurius et testūdo

Hodiē puer nātus est. Hic puer est
fīlius Iovis et Māiae. Māia est māter puerī.
Iūppiter est pater puerī. Iūppiter est rex
deōrum.

Hic puer est mīrus. Hic puer ambulāre potest. Hic puer loquī potest. Hic puer canere potest. Nōmen puerō est Mercurius.

Hodiē Mercurius in Cyllēnē monte nātus est. Mercurius cum mātre habitat. Mercurius cum patre nōn habitat. Nam Iūppiter in Olympō monte habitat.

Mercurius est puer mīrus. Mercurius domō exīre vult. Mercurius loquī vult. Mercurius canere vult. Mercurius autem vult fūrārī.

Mercurius clam domō exit.

Mercurius:

"Ego volō domō exīre!
Ego volō fūrārī!"

Mercurius videt testūdinem!

Mercurius:

"Ego volō habēre testūdinem!
HANC testūdinem ego volō habēre!"

Mercurius testūdinem fūrātur.

Mercurius:

"Ego volō canere!"

Mercurius testūdinem interficit!

Mercurius:

"Ego volō canere!"

Mercurius
ex testūdine
facit lyram.

Mercurius
lyrā canit.

Mercurius:

"♫ Meus pater est Iūppiter. ♫ Meus
pater est rex deōrum. ♫ Mea māter
est Māia. ♫ Mea māter suum
mensem habet. ♫ Meae mātrī est
mensis Māius[1]. ♫ Ego sum
Mercurius. ♫ Ego sum mīrus!"

---

[1] Some ancient Romans believed that the month of May
was named after Maia.

Mercurius autem vult fūrārī.

Mercurius:

"Ego volō fūrārī..."

"...Ego clam domō exiī..."

"...Clam..."

"...Ego volō clam fūrārī..."

II

Mercurius et bovēs

Nocte Mercurius fūrārī vult.

Mercurius:
   Ego volō clam domō exīre.
   Ego volō clam fūrārī.

Mercurius est puer mīrus. Mercurius
ambulāre potest. Mercurius loquī potest.
Mercurius canere potest.

Mercurius:

Hāc nocte ego nōlō canere.

Hāc nocte ego nōlō loquī.

Hāc nocte ego volō domō exīre.

Mercurius domō exit. Mercurius clam domō exit. Mercurius clam fūrārī vult.

Mercurius est puer mīrus. Mercurius ambulat et montēs videt. Mercurius montēs videt et - bovēs!

Mercurius:

"Ego volō fūrārī bovēs!

HĀS bovēs ego volō fūrārī!"

Hae bovēs sunt mīrae. Hae autem bovēs Mercuriī nōn sunt. Nam hae bovēs Apollinis sunt.

Apollō est frāter Mercuriī. Mercurius
clam bovēs Apollinis fūrārī vult.

Mercurius:
  "Hae bovēs sunt mīrae!
  Ego volō clam bovēs fūrārī!"

Hāc nocte Mercurius bovēs fūrātur.
Mercurius autem nōn domum bovēs agit.
Nam Mercurius clam bovēs fūrārī vult.

Mercurius:
  "Ego clam fūror!
  Ego clam bovēs fūror!
  Ego clam bovēs Apollinis fūror!"

Mercurius bovēs agit in specum.
Mercurius clam bovēs agit in specum.

Mercurius:

"Bovēs clam in specū sunt!"

III

Mercurius et Apollō

Bovēs fūrātus[2], Mercurius clam
domum venit.

Māia autem Mercurium videt.

Māia:

"Hāc nocte tū domō
exiistī! Hāc nocte tū
fūrātus es!"

---

[2] **fūrātus** – having stolen, (after) stealing

Mercurius:

"Māter, ego volō fūrārī!

Ego clam fūrārī possum!"

Apollō in domum Māiae et Mercuriī venit.

Apollō:

"Mercurī, tū meās

bovēs fūrātus es!

Redde mihi bovēs!"

Māia:

"Mercurī, bovēs

Apollinis?!"

Mercurius nōn loquitur.

Apollō:

"Mercurī, loquere!

Redde mihi bovēs!"

Mercurius nōn loquitur.

Apollō:

"Mercurī, LOQUERE!"

Mercurius nōn loquitur. Apollō venit ad
Mercurium et -

Mercurius:

"Apollō, ego sum puer! Ego fūrārī
nōn possum! Ego bovēs reddere nōn
possum! Nam ego bovēs nōn
habeō!"

Apollō:

"Tū autem ambulāre potes. Loquī potes. Nam tū es puer mīrus."

Mercurius:

"Ego ambulāre possum. Ego loquī possum. Et ego canere possum. Ego autem fūrārī nōn possum! Ego bovēs reddere nōn possum! Nam ego bovēs nōn habeō!"

Apollō:

"Fūrārī POTES! Fūrātus es MEĀS BOVĒS!"

Apollō venit ad Mercurium.

Māia:

"Mercurī! Apollō!

Mercurī, redde Apollinī bovēs!"

Apollō Mercurium sūmit[3].

Mercurius autem est puer mīrus.

Mercurius pēdit[4] et sternuit[5]!

Mercurius:

"Ego bovēs nōn fūrātus sum! Ego
bovēs reddere nōn possum! Nam
ego bovēs nōn habeō! Ego volō loquī
cum meō patre!"

---

[3] **sūmit** - picks up
[4] **pēdit** - (he) farts
[5] **sternuit** - (he) sneezes

IV

Mercurius et rēs deōrum

Mercurius et Apollō cum patre, Iove, loquī volunt. Mercurius et Apollō in Olympum montem veniunt.

Omnēs deī in Olympō monte sunt. Vulcānus Apollinem videt. Vulcānus cum Apolline loquitur.

Vulcānus:

"Salvē, Apollō!"

Apollō:

"Salvē, Vulcāne!"

Mercurius omnēs deōs videt.

Mercurius:

Deī rēs habent! Ego volō rēs deōrum
fūrārī!

Apolline loquente, Mercurius clam rēs
deōrum fūrātur. Mercurius clam arcum⁶
et sagittās⁷ Apollinis loquentis⁸ fūrātur.

Mercurius Neptūnum videt.
Neptūnus tridentem⁹ habet.

---

⁶ **arcum** – bow

⁷ **sagittās** – arrows

⁸ **Apollinis loquentis** – of Apollo (while he is) talking

⁹ **tridentem** – trident

Mercurius:

Ego volō tridentem Neptūnī habēre!

Ego volō tridentem Neptūnī fūrārī!

Mercurius clam tridentem Neptūnī fūrātur.

Mercurius Martem videt.

Mars gladium[10] habet.

---

[10] **gladium** – sword

Mercurius:

Ego volō gladium Martis habēre!

Ego volō gladium Martis fūrārī!

Mercurius clam gladium Martis fūrātur.

Mercurius Cupīdinem videt.

Mercurius:

Cupīdo est puer. Ego sum puer.

Ego clam fūrārī nōn possum.

Nam Cupīdo mē vidēre potest.

Mercurius:

"Cupīdo!

Ego volō cum Cupīdine luctārī[11]!"

---

[11] **luctārī** - to wrestle

Cupīdo:

"Ego volō cum Mercuriō luctārī!"

Mercurius cum Cupīdine luctātur[12].

Mercurius, duōs diēs nātus[13], Cupīdinem vincit[14].

Venus cum Mercuriō loquī vult.

Venus ad Mercurium venit.

Mercurius Venerem videt.

Venus cestum[15] habet.

---

[12] **luctātur** – wrestles

[13] **duōs diēs nātus** – (at) two days old

[14] **vincit** – defeats

[15] **cestum** – belt

Mercurius:

> *Ego volō cestum Veneris habēre!*
>
> *Ego volō cestum Veneris fūrārī!*

Mercurius clam cestum Veneris loquentis fūrātur.

Mercurius:

> *Ego volō rēs omnium deōrum fūrārī!*

V

Apollō et Vulcānus

Mercuriō fūrante[16], Apollō cum Vulcānō loquitur.

Apollō:

"Hic puer est Mercurius.

Mercurius est fīlius Iovis et Māiae."

Vulcānus:

"Mercurius est mīrus."

---

[16] **fūrante** – (while) stealing

Apollō:

"Mercurius autem fūrārī potest!"

Vulcānus:

"Mercurius autem est puer!
Nam puerī fūrārī nōn possunt!"

Apollō:

"Loquere cum Neptūnō!
Nam Mercurius clam rem Neptūnī
fūrātus est."

Vulcānus:

"Tridentem Neptūnī Mercurius
fūrātus est?!"

Apollō:

"Et rem Martis. Nam Mercurius
clam rem Martis fūrātus est."

Vulcānus:

"Gladium Martis Mercurius fūrātus est?!"

Apollō:

"Et...meās rēs!"

Vulcānus:

"Tuās rēs Mercurius clam fūrātus est?!"

Apollō:

"Mercurius clam meās bovēs et arcum et sagittās fūrātus est!"

Vulcānus:

"Puerī autem fūrārī nōn possunt!"

Apollō:

"Habēsne rēs?"

Vulcānus:

"Habeō."

Apollō:

"Omnēsne rēs?"

Vulcānus:

"Nōn habeō...forcipem[17] nōn habeō!"

---

[17] **forcipem** – tongs

VI

Mercurius et rēs Iovis

Mercurius:

Ego bovēs Apollinis fūrātus sum.

Ego arcum Apollinis fūrātus sum.

Ego sagittās Apollinis fūrātus sum.

Ego tridentem Neptūnī fūrātus sum.

Ego gladium Martis fūrātus sum.

Ego cestum Veneris fūrātus sum.

Et ego forcipem Vulcānī fūrātus sum.

Ego volō fūrārī!

Mercurius videt rēgem.

Mercurius:

> *Ego volō fūrārī rēs rēgis deōrum!*
> *Ego volō fūrārī rēs meī patris!*
> *Ego volō fūrārī rēs Iovis!*

Mercurius ad Iovem venit.

Mercurius:

Ego volō scēptrum[18] Patris habēre!

Ego volō scēptrum Patris fūrārī!

Iūppiter fīlium videt.

Iūppiter:

"Salvē, Mercurī! Tū es puer mīrus.

Tū es fīlius mīrus. Duōs diēs nātus,

tū ambulāre potes. Et loquī potes.

Et canere potes. Ego volō tē canere."

Mercurius:

"Pater, salvē! Ego fēcī lyram. Ego

volō lyrā canere."

---

[18] **scēptrum** - scepter

28

Mercurius:

"♫ Meus pater est Iūppiter. ♫ Meus pater est rex deōrum. ♫ Mea māter est Māia. ♫ Mea māter suum mensem habet. ♫ Nam meae mātrī est mensis Māius. ♫ Ego sum Mercurius. ♫ Ego sum mīrus!"

Iūppiter rīdet. Iūppiter rīdens Mercurium vidēre nōn potest.

Mercurius ad Iovem venit. Mercurius rēs Iovis fūrārī vult. Mercurius clam scēptrum Iovis rīdentis fūrātur. Mercurius fulmen[19] Iovis videt.

---

[19] **fulmen** – thunderbolt

Mercurius:

> *Et ego volō fulmen Patris habēre!*
>
> *Ego volō fulmen Patris fūrārī!*

Fulmen autem est mīrum.

Mercurius:

> *Fulmen Patris est nimis grave!*
>
> *Fulmen Patris est nimis calidum!*
>
> *Ego fulmen Patris fūrārī nōn possum!*

Omnia Mercurius fūrārī nōn potest.

VII

Lūdibrium

Mercuriō fūrante, Apollō cum
Vulcānō loquitur.

Vulcānus:

"Mercurius meam forcipem fūrātus
est!"

Apollō:

"Mercurius fūrārī potest.
Nam Mercurius est puer mīrus.
Et Mercurius canere potest."

Vulcānus:

"Canere potest?!"

Apollō:

"Canere potest. Nam Mercurius ex testūdine lyram fēcit. Mercurius lyrā canit. Ego lyrā canere volō."

Vulcānus:

"Mercurius est puer mīrus."

Apollō:

"Māia fīlium mīrum habet. Nocte Mercurius domō exit et fūrātur."

Vulcānus:

"Et Mercurius meam forcipem fūrātus est!"

Apollō:

> "Et Mercurius meās bovēs et arcum
> et sagittās fūrātus est!"

Venus:

> "Vulcāne, forcipem nōn habēs?!
> Meum cestum nōn habeō!"

Neptūnus:

> "Meum tridentem nōn habeō!"

Mars:

> "Meum gladium nōn habeō!"

Apollō:

"Iūppiter scēptrum nōn habet!"

...

"Nōs omnēs volumus Mercurium
rēs reddere. Mercurius est puer.
Puerī lūdibria habēre volunt..."

Vulcānus:

"Ego lūdibrium facere possum..."

Vulcānus lūdibrium facit.

Neptūnus:

"Tridens[20] nōn est."

Venus:

"Scēptrum nōn est."

---

[20] **tridens** – trident

Apollō:

"Estne lūdibrium mīrum?"

Vulcānus:

"Hoc lūdibrium est cādūceus[21].
Mercurius cādūceum habēre volet!
Mercurius rēs reddere volet!

---

[21] **cādūceus** – staff (similar to a magic wand)

VIII

Scēptrum Iovis

Iūppiter rīdet. Iūppiter autem
Mercurium nōn videt.

Iūppiter:

Mercurium nōn videō.

Cupīdinem videō. Venerem videō.

Martem videō. Neptūnum videō.

Vulcānum videō. Apollinem videō.

Iūppiter fulmen videt. Iūppiter autem...

Iūppiter:

"Meum scēptrum nōn videō!

Meum scēptrum nōn habeō!"

Apollō:

"Et rēs Iovis Mercurius fūrātus est!"

Omnēs deī ad Iovem veniunt.

Apollō:

"Iūppiter, Mercurius scēptrum
fūrātus est! Et meās bovēs et arcum
et sagittās fūrātus est!"

Vulcānus:

"Iūppiter, meam forcipem
Mercurius fūrātus est!"

Venus:

"Iūppiter, meum cestum Mercurius
fūrātus est!"

Mars:

"Iūppiter, meum gladium
Mercurius fūrātus est!"

Neptūnus:

"Frāter, meum tridentem Mercurius
fūrātus est!"

Mercurius:

"Pater, ego nōn fūrātus sum!"

Iūppiter:

"Mercurī, redde omnēs hās rēs."

Mercurius:

"Ego autem sum puer, Pater. Nam
puerī fūrārī nōn possunt."

Iūppiter:

"Tū autem est puer mīrus. Tū
fūrātus es."

Mercurius:

"Ego rēs reddere nōn possum.
Nam ego rēs nōn habeō."

Apollō:

"Lūdibrium, Mercurī, habeō."

Mercurius:

"Lūdibrium?! Ego volō lūdibrium
habēre!"

Iūppiter:

"Mercurī, redde rēs et lūdibrium tū habēbis."

Mercurius:

"Ego volō lūdibrium habēre, Pater!
Ego rēs reddam!
Pater, ego scēptrum reddō!"

Mercurius scēptrum Iovī reddit.

Mercurius:

"Venus, ego cestum reddō!"

Mercurius cestum Venerī reddit.

Mercurius:

"Neptūne, ego tridentem reddō!"

Mercurius tridentem Neptūnō reddit.

Mercurius:

"Mars, ego gladium reddō!"

Mercurius gladium Martī reddit.

Mercurius:

"Vulcāne, ego forcipem reddō!"

Mercurius forcipem Vulcānō reddit.

Vulcānus:

"Mercurī, ego lūdibrium fēcī. Nam tū es puer mīrus."

Mercurius:

"Ego volō lūdibrium habēre! Nam ego omnēs rēs reddidī!"

Apollō:

"Omnēs?!"

Mercurius:

"Apollō, ego arcum et sagittās
reddō!"

Apollō:

"Et...?"

Mercurius:

"Ego volō lūdibrium habēre!
Nam ego omnēs rēs reddidī!"

Apollō:

"Et bovēs?!"

Mercurius:

"Venī mēcum[22]!"

---

[22] **mēcum** – with me

IX

Lyra et cādūceus

Mercurius et Apollō ad bovēs
veniunt. Mercurius ex specū bovēs agit.

Mercurius:

"Apollō, ego bovēs reddō!"

Mercurius bovēs Apollinī reddit.

Apollō:

"Bovēs habeō! Gaudeō!"

Mercurius:

"Et ego gaudeō, frāter."

Apollō nōn gaudet.

Apollō:

"Tū nōn es meus frāter.
Nam meās rēs tū fūrātus es."

Mercurius nōn gaudet. Mercurius vult
Apollinem gaudēre. Mercurius lyrā canit.

Mercurius:

"♫ Ego canō Mnēmosynēn. ♫ Nam
Mnēmosynē est māter Mūsārum.
♫ Ego canō Mūsās. ♫ Nam Mūsae
canunt. ♫ Ego canō Apollinem.
♫ Nam Apollō cum Mūsīs canit.
♫ Apollō est meus frāter!"

Apollō gaudet.

Apollō:

"Mercurī, gaudeō! Nam tū es puer
mīrus! Lyra est mīra!"

Mercurius:

"Lyram tibī, frāter, ego dabō."

Mercurius lyram Apollinī dat.

Apollō:

"Cum Mūsīs lyrā canam!
Nōs canēmus Mercurium, meum
frātrem!"

Mercurius:

"Ego gaudeō!"

Apollō:

"Lūdibrium tibī dabō.

Hoc lūdibrium est cādūceus."

Apollō cādūceum Mercuriō dat.

Mercurius:

"Cādūceō ego gaudeō!"

Apollō:

"Et bovēs tibī dabō.

Nam tū cādūceō[23] bovēs agēs."

Mercurius:

"Ego cādūceō bovēs agam!"

Mercurius et Apollō gaudent. Apollō
lyram habet. Mercurius cādūceum habet.

---

[23] cādūceō – with the caduceus

Mercurius:

   (Ego nōlō domum venīre! Ego
   volō...)

Index Verbōrum

A

ad - to, toward

agam - I will drive (cattle), will lead

agēs - you will drive (cattle), will lead

agit - drives (cattle), leads

ambulāre - to walk

ambulat - walks

Apollō, Apolline, Apollinem - Apollo (*the god of music and prophecy*)

> **Apolline loquente, Mercurius clam rēs deōrum fūrātur.** - *With Apollo talking (i.e. while Apollo is talking)*, Mercury secretly steals the gods' things.
>
> **Apollinī** - to Apollo
>
> **Apollinis** - of Apollo, Apollo's
>
> **Mercurius clam arcum et sagittās Apollinis loquentis fūrātur.** - Mercury secretly steals the bow and arrows of Apollo *(while he is) talking.*

arcum - bow (*as in "bow and arrow," one of Apollo's symbols*)

autem - however (*never the first word in a sentence*)

B

bovēs - cattle

C

cādūceus, cādūceum - the caduceus (*Mercury's magical wand*)

> **cādūceō** - with the caduceus

calidum - hot

canam - I will sing, will make music

canēmus - we will sing (about), will play music

> **Nōs canēmus Mercurium, meum frātrem!**
>
> - We *will sing about* Mercury, my brother!

canere - to sing (about), to play music

canit - sings (about), plays music

> **Mercurius lyrā canit.** - Mercury *plays music* with the lyre (i.e. plays the lyre).

canō - I sing (about), play music

ego canō Mnēmosynēn. – I *sing about*
Mnemosyne.

canunt – (they) sing (about), play music

cestum – the cestus (*Venus' magical belt, one of
her symbols*)

clam – secretly, in secret

cum – with

Cupīdo, Cupīdine, Cupīdinem – Cupid (*the god of
love, son of Venus*)

Cyllēnē – Mount Cyllene (*the mountain in Greece
where Mercury was born*)

D

dabō – I will give

dat – gives

deī, deīs, deōs – (the) gods

deōrum – of the gods, the gods'

diēs – days

domō – from home

domum – (to) home

duōs – two

E

ego - I

es - (you) are

est - is

et - and

ex - out of, from

exiī - (I) left

exiistī - (you) left

exīre - to leave

exit - (he) leaves

F

facit - makes

fēcī - I made

fēcit - (he) made

fīlium, fīlius - son

forcipem - tongs (*one of Vulcan's symbols*)

frāter - brother

fulmen - thunderbolt (*one of Jupiter's symbols*)

fūrante - stealing

      Mercuriō fūrante - as Mercury is stealing, while Mercury is stealing

fūrārī - to steal

fūrātur - steals

fūrātus - having stolen, (after) stealing

fūrātus es - you stole

fūrātus est - (he) stole

fūrātus sum - I stole

fūror - I steal, I am stealing

G

gaudent - (they) are happy

gaudeō - I am happy

> **Cādūceō ego gaudeō.** - I *am happy with* the caduceus (i.e. the caduceus makes me happy).

gaudēre - to be happy

gaudet - is happy

gladium - sword (*one of Mars' symbols*)

grave - heavy

H

habēbis - (you) will have

habent - (they) have

habeō - I have

habēre - to have

habēs – (you) have

habet – has

habitat – lives, resides

hāc – this

> **hāc nocte** – on this night, tonight

hae, hās – these

hanc – this

hic, hoc – this

hodiē – today

I

in – in, on, into

> **Hodiē Mercurius in Cyllēnē monte nātus est.** – Today Mercury was born *on* Mount Cyllene.
>
> **Mercurius bovēs agit in specum.** – Mercury drives the cattle *into* a cave.
>
> **Bovēs clam in specū sunt!** – The cattle are secretly *in* the cave!

interficit – kills

Iūppiter, Iove, Iovem – Jupiter (*the king of the gods, the god of the sky and lightning*)

> **Iovī** – to Jupiter

Iovis - of Jupiter, Jupiter's

L

loquente, loquentis - (while) talking, (while) speaking

> **Apolline loquente, Mercurius clam rēs deōrum fūrātur.** - With Apollo *talking (i.e. while Apollo is talking)*, Mercury secretly steals the gods' things.
> **Mercurius clam arcum et sagittās Apollinis loquentis fūrātur.** - Mercury secretly steals the bow and arrows of Apollo *(while he is) talking.*

loquere - talk!, speak!

loquī - to talk, to speak

loquitur - talks, speaks

luctārī - to wrestle

luctātur - wrestles

lūdibria - toys

lūdibrium - toy

lyra, lyram - lyre (*the harp that Mercury makes, later one of the Apollo's symbols*)

lyrā - with the lyre

M

Māia – Maia (*the leader of the Pleiades, a group of star nymphs*)

Māiae – of Maia, Maia's

Māius – (the month of) May

Mars, Martem – Mars (*the god of war*)

Martī – to Mars

Martis – of Mars, Mars'

māter, mātre – mother

mātrī – for (my) mother

Nam meae mātrī est mensis Māius. – Since the month of May is *for my mother* (i.e. since my mother has the month of May).

mē – me

mea, meae, meam, meās – my

mēcum – with me

meī – of my

mensem, mensis – month

meō – my

Mercurius, Mercurī, Mercuriō, Mercurium – Mercury (*the messenger god*)

Mercuriī – of Mercury, Mercury's

meum, meus – my

mihi – to me

mīrae, mīrum, mīrus – extraordinary, wonderful

Mnēmosynē, Mnēmosynēn – Mnemosyne (*the goddess of memory, mother of the Muses*)

monte, montem – mountain

montēs – mountains

Mūsae, Mūsīs, Mūsās – the Muses (*goddesses of the arts*)

> **Mūsārum** – of the Muses

N

nam – since, as, for (*explains the previous sentence*)

nātus – born

> **duōs diēs nātus** – born for two days, two days old

nātus est – (he) was born

-ne – (*attached to the end of a word, indicates a yes/no question*)

> **Habēsne rēs?** – *Do you have* your possessions?

Omnēsne? - All (of them)?

Neptūnus, Neptūnō, Neptūnum - Neptune (*the god of the sea*)

    Neptūnī - of Neptune, Neptune's

nimis - too

    nimis grave - *too* heavy

nocte - (at) night

nōlō - I do not want, I refuse

nōmen - name

nōn - not

nōs - we

O

Olympō, Olympum - Mount Olympus (*the mountain in Greece where the gods live*)

omnēs - all

omnia - everything

omnium - of all

P

pater, patre - father

pēdit - farts

possunt - (they) are able, can

potest - is able, can

puer - boy

puerī - of the boy, the boy's; children

puerō - for the boy

> **Nōmen puerō est Mercurius.** - *The boy's* name is Mercury.

R

reddam - I will give back

redde - give back!

reddere - to give back

reddidī - I gave back

reddit - gives back

reddō - I give back

rēgem - king

rēgis - of the king, the king's

rem - object, possession

rēs - objects, possessions

rex - king

rīdens, rīdentis - (while) laughing

> **Mercurius clam scēptrum Iovis rīdentis fūrātur.** - Mercury secretly steals the scepter of Jupiter *(while he is) laughing.*

rīdet – laughs

S

sagittās – arrows (*one of Apollo's symbols*)

salvē – hello

scēptrum – scepter (*symbol of Jupiter's royal authority*)

specū, specum – cave

sternuit – sneezes

sum – I am

sūmit – picks up

sunt – (they) are

suum – their own

> **Mea māter suum mensem habet.** – My mother has *her own* month.

T

tē – you

testūdine – out of the tortoise, from the tortoise

> **Mercurius ex testūdine facit lyram.** – Mercury makes the lyre out of the tortoise.

testūdinem, testūdo – tortoise

tibī – to you

tridens, tridentem – the trident (*Neptune's three-pronged fishing spear, his symbol*)

tū – you

tuās – your

V

venī – come!

venīre – to come

venit – comes

Venus, Venerem – Venus (*the goddess of love*)

    Venerī – to Venus

    Veneris – of Venus, Venus'

vidēre – to see

videt – sees

vincit – defeats

volet – (he) will want

volō – I want

volumus – we want

volunt – (they) want

Vulcānus, Vulcāne, Vulcānō – Vulcan (*the god of fire and smith of the gods*)

    Vulcānī – of Vulcan, Vulcan's

vult – wants

Made in the USA
Monee, IL
18 May 2021